Como Falam os Brasileiros

Yonne Leite
Dinah Callou

Como Falam os Brasileiros

4ª edição

ZAHAR

Grafia atualizada segundo o Acordo Ortográfico da Língua Portuguesa de 1990, que entrou em vigor no Brasil em 2009.

Capa e ilustração da capa
Sérgio Campante

Vinheta da coleção
Ilustração de Debret

Composição
TopTextos Edições Gráficas

Impressão sob demanda
UmLivro

Papel
Offset, Suzano S.A.

CIP-Brasil. Catalogação na fonte
Sindicato Nacional dos Editores de Livros, RJ

Leite, Yonne, 1935-
L552c Como falam os brasileiros / Yonne Leite, Dinah Callou. — 4ª ed. — Rio de
4. ed. Janeiro: Zahar, 2010.

(Descobrindo o Brasil)

Inclui bibliografia
ISBN 978-85-7110-650-5

1. Língua portuguesa — Português falado — Brasil. 2. Língua portuguesa — Português falado — Rio de Janeiro (RJ). I. Callou, Dinah, 1938-. II. Título. III. Série.

CDD: 469.7981
09-5813 CDU: 811.134.3(81)'27

[2020]

EDITORA SCHWARCZ S.A.
Praça Floriano, 19, sala 3001 — Cinelândia
20031-050 — Rio de Janeiro — RJ
Telefone: (21) 3993-7510
www.companhiadasletras.com.br
www.blogdacompanhia.com.br
facebook.com/editorazahar
instagram.com/editorazahar
twitter.com/editorazahar

FSC
www.fsc.org
MISTO
Papel produzido a partir de fontes responsáveis
FSC® C128038

A marca FSC® é a garantia de que a madeira utilizada na fabricação do papel deste livro provém de florestas que foram gerenciadas de maneira ambientalmente correta, socialmente justa e economicamente viável, além de outras fontes de origem controlada.

Sumário

Introdução

É através da linguagem que uma sociedade se comunica e retrata o conhecimento e entendimento de si própria e do mundo que a cerca. É na linguagem que se refletem a identificação e a diferenciação de cada comunidade e também a inserção do indivíduo em diferentes agrupamentos, estratos sociais, faixas etárias, gêneros, graus de escolaridade. A fala tem, assim, um caráter emblemático, que indica se o falante é brasileiro ou português, francês ou italiano, alemão ou holandês, americano ou inglês e, mais ainda, sendo brasileiro, se é nordestino, sulista ou carioca. A linguagem também oferece pistas que permitem dizer se o locutor é homem ou mulher, se é jovem ou idoso, se tem curso primário, universitário ou se é iletrado. E, por ser um parâmetro que permite classificar o indivíduo de acordo com sua nacionalidade e naturalidade, sua condição econômica ou social e seu grau de instrução, é frequentemente usada para discriminar e estigmatizar o falante.

De uma perspectiva estritamente linguística, não se justificam julgamentos de valor, uma vez que a faculdade da linguagem é inata e comum a toda a espécie humana. As diferenças existentes entre as línguas representam apenas formas de atualização distintas dessa faculdade universal. Assim, para o linguista, todo homem é igual não só perante a lei, mas também frente a sua capacidade linguística. Como assinala o filólogo do início do século XX João Ribeiro, a primeira lição elementar de todas as ciências é que objetivamente não pode haver um fenômeno bom e outro mau ou ruim, todos são essencialmente legítimos. Não existe, assim, variante boa ou má, língua rica ou língua pobre, dialeto superior ou inferior. O que ocorre é uma variabilidade na produção, muitas vezes determinada por fatores sociais, que não é exclusiva de uma língua, é universal e inerente a todas. O que há de concreto no cotidiano são as realizações individuais que ocorrem à nossa volta, porém a comunicação só se efetiva devido à existência de uma representação abstrata, compartilhada por um grupo maior ou menor de indivíduos, que vem a ser a língua nacional *x, y* ou *z.*

É de se esperar dessa forma que na extensão do território brasileiro haja uma unidade linguística, a *língua portuguesa*, mas também diversidade, os *falares brasileiros*. O falante do norte do país não tem a menor dificuldade em entender o falante do sul, embora ocorram diferenças na fonética, na sintaxe e no léxico. Por exemplo, a uma mesma fruta atribuem-se palavras regionalmente diferentes, tais como *tangerina, mexerica, laranja cravo* ou *bergamota, pinha, fruta de conde* ou *ata, goiaba* ou *araçá,* ou seja, opções lexicais próprias de cada região. Essas variações, que são mais flagrantes no vocabulário e na pronúncia, não comprometem a unidade maior de entendimento entre os falantes.

Toda essa variação linguística explica-se, nas palavras de Antônio Houaiss, pelo próprio processo de colonização do país: dialetação horizontal por influxo indígena e diferenciação vertical entre a fala do luso e a fala do nascido e criado na terra. Segundo o cientista social Manuel Diégues Jr., o Brasil pode ser considerado como uma vasta experiência de pluralismo étnico e cultural, em que as mais diversas relações de raças e culturas — que se processam e se processaram no cenário brasileiro — são responsáveis pelas diferenças existentes entre regiões e áreas geográficas do país e, consequentemente, pelas diferenças entre os diversos falares brasileiros.

A grande questão nunca foi a da intercomunicabilidade, mas sim a da padronização de uma língua falada e escrita para fins cultos. Por uma ou outra razão, a escolha de um falar local padrão sempre girou em torno de três grandes centros urbanos, a saber, a cidade do Rio de Janeiro, a de São Paulo e a de Salvador. A preferência recaiu sobre a cidade do Rio de Janeiro e se deveu, prioritariamente, a razões extralinguísticas: o fato de o Rio de Janeiro estar geograficamente no centro de uma polaridade norte/sul, ser centro político há mais tempo, capital da Colônia desde 1763, e ser uma área cuja linguagem culta tende a apresentar menor número de marcas locais e regionais, com uma tendência universalista, dentro do país. Não há como negar que, em termos socioeconômicos, São Paulo há muito superou o Rio de Janeiro, mas, por outro lado, mantém a sua marca localista, pelo menos na fala, a marca do chamado "dialeto caipira". Salvador, embora capital durante a maior parte do Brasil-Colônia, sofreu forte importação lexical das línguas africanas, apresentando um tipo de entoação descendente, denominada fala "cantada", e características fonéticas marcantes, como a de vogais abertas e perda pronunciada do *r* final. Como todos sabem, essas marcas regionais, tanto do dialeto caipira quanto do dialeto baiano, são estigmatizadas pelos falantes de outras áreas do país.

Costuma-se dizer que o falar carioca é o que mais equidistante se encontra do nortista, do nordestino, do oriental, do sulista e do sertanejo, e que o Rio de Janeiro possui condições geográficas, históricas, políticas e, inclusive, linguísticas, para ser um centro unificador. Dois congressos nacionais, o de Língua Cantada, organizado em 1937 por Mário de Andrade, escritor e figura dominante do Modernismo em São Paulo, e o de Língua Falada no Teatro, realizado em Salvador em 1956, debruçaram-se sobre essas questões com a finalidade de estabelecer *normas* de âmbito generalista que, de um lado, representassem o ideal linguístico da comunidade brasileira como um todo e, de outro, não fizessem com que se corresse o risco de chegar a uma média que não correspondesse a nenhuma das variedades faladas no Brasil, no passado ou no presente. Cumpria também evitar, àquela altura e ainda hoje, o perigo dos pruridos de orgulho regional, pois, conforme se escuta a todo momento, o sotaque alheio "irrita", tal pronúncia é "horrível" ou "engraçada", principalmente se caracterizadora de um falante de área não prestigiada.

Ainda que se admita partir de uma "base carioca", que representaria, embora com ressalvas, a *média da pronúncia nacional* dentro de um quadro geral de características fonéticas e morfossintáticas, é de fundamental importância situar esse linguajar carioca em relação aos outros falares e tornar evidente, se verdadeiro, este comportamento *médio*.

Uma visão geral do Brasil: o mito da homogeneidade

A oposição entre as variantes brasileira e europeia da língua portuguesa já foi reconhecida, conquanto tenha suscitado polêmicas, durante algum tempo, sobre a existência ou não de uma "língua brasileira" e, por mais tempo ainda, sobre seu caráter uniforme e conservador. No que se refere ao português do Brasil, predominava a concepção de língua como reflexo e expressão da cultura e a da superioridade cultural dos brancos sobre os negros e índios. Ao advogarem a "lusitanidade" da cultura brasileira, os estudiosos teriam, necessariamente, de admitir que havia uma identidade linguística e uma homogeneidade dentro de um conjunto heterogêneo, mais recentemente chamado de "português brasileiro". Segundo José Honório Rodrigues, só por ocasião da Assembleia Constituinte de 1823 os representantes de diversas províncias foram capazes de observar a diferença de *prosódia* e, ao mesmo tempo, a igualdade da *língua* que todos falavam. A célebre máxima "unidade na diversidade e diversidade na unidade" é o ponto central da questão sobre o português do Brasil.

Um território de 8,5 milhões de quilômetros quadrados, com uma população hoje estimada em 170 milhões de habitantes — com índice ainda alto de analfabetismo — não poderia apresentar um quadro linguístico homogêneo. A diversidade que existe em qualquer ponto espelha uma pluralidade cultural e não se pode presumir para a expansão do português no Brasil uma forma linguística única, pois a época em que se deu a colonização, a origem dos colonizadores e as consequências linguísticas de um contato heterogêneo são aspectos que devem ser considerados. Uma região como a do Rio Grande do Sul, realmente povoada no século XVIII, e cuja colonização se deu por processo diferente da maior parte do país, na base de casais, com miscigenação relativamente insignificante, não pode apresentar um quadro idêntico ao do Brasil Central, Bahia, Rio de Janeiro e vários outros pontos do atual território nacional que foram colonizados apenas por homens, com maior mestiçagem. Em decorrência disso, às vésperas da Independência, o Brasil possuía uma população estimada em 1.347.000 brancos e 3.993.000 negros e mestiços, entre escravos e livres, mas a distribuição populacional era irregular, com maior concentração de negros em Pernambuco, Bahia, Minas Gerais e Rio de Janeiro. Na verdade, toda essa complexidade dificulta ou torna praticamente impossível traçar um quadro completo da variação dialetal e socialmente diferenciada resultante do contato com outras línguas e, por sua vez, de mudanças ocorridas na *língua portuguesa* trazida para cá.

Outro aspecto que surpreende os não especialistas e não pode deixar de ser posto em relevo é o de que, até a primeira metade do século XVIII, a "língua geral" indígena era predominante. O historiador Sérgio Buarque de Holanda informa, com base em relatório escrito por volta de 1692 pelo então governador do Rio de Janeiro, que os filhos de paulistas primeiro aprendiam a língua indígena e só depois a materna, isto é, a portuguesa. Em alguns pontos, até 1755, a língua portuguesa era minoritária, embora tivesse acabado por se impor na Corte, segundo informações de historiadores.

Embora à época da conquista fossem faladas 1.273 línguas indígenas, no Brasil atual há, além do português, segundo estimativa do pesquisador Aryon Rodrigues, apenas 180 línguas indígenas — das quais a grande maioria se encontra na Região Amazônica, que possui uma população de 350 mil pessoas distribuídas em 206 etnias — e 41 famílias, dois troncos e uma dezena de línguas isoladas. Em 500 anos, uma perda de 85%! É bom lembrar que, apesar do grande extermínio, ainda hoje há grupos indígenas próximos a grandes centros urbanos, como os guaranis, na costa do Rio de Janeiro, em São Paulo e também no Rio Grande do Sul, que conservam sua língua nativa.

A Constituição de 1988 assegurou às populações indígenas o direito de manter sua diversidade linguística e cultural, num reconhecimento oficial de ser o país multilíngue. O português falado por essas populações tem sido alvo de poucos estudos sistemáticos, mas o número já é suficiente para mostrar que se tem um outro tipo de heterogeneidade, à qual se deve somar o do português falado por contingentes de imigrantes japoneses, italianos, alemães, poloneses, espanhóis, libaneses, sem esquecer de falantes de origem portuguesa, açorianos, poveiros e transmontanos. Também devem ser lembrados os pequenos redutos de antigos escravos africanos, como a localidade de Helvécia, no município de Nova Viçosa, na Bahia, originária da antiga Colônia Leopoldina, fundada por colonos alemães, suíços e franceses em 1818, pois apresentam até hoje características de um "falar crioulo", visto como resultante de transmissão linguística irregular, devido ao contato precário com a língua portuguesa.

A verdade é que a hegemonia da língua portuguesa não dependeu de fatores linguísticos, mas sim históricos, e só nos últimos dois séculos e meio ocorreu uma normatização do português falado no Brasil em direção a um chamado português "padrão", que, apesar de intrinsecamente variado regional e socialmente, passou a gozar de prestígio e a representar a "norma" para o bem falar e o bem escrever.

Não resta dúvida de que a história da colonização brasileira se reflete na diversidade linguística existente no país, a qual veio aos poucos sendo reconhecida. Esse reconhecimento traduz-se, por exemplo, na eleição, pelo eleitorado do estado do Rio de Janeiro, de um índio xavante como seu representante junto ao Congresso Nacional nas eleições de 1982, o que evidencia uma maior abertura étnica e linguística. Por outro lado, persiste a idealização de um país monolíngue e de uma gramática pura, imutável, o mais próxima possível do português falado no outro lado do Atlântico. O preconceito linguístico por parte da sociedade é difícil de ser vencido, uma vez que a pressão social é contínua e os meios de comunicação de massa atuam a seu favor.

Para o sociolinguista, cujo objeto de estudo é a língua e os fatores sociais que condicionam sua produção, é natural aceitar a ideia de que, se em termos relativos se justifica a qualificação de "espantosa" — que não raro se atribui à unidade linguística do Brasil —, mais espantoso pareceria negar a diversidade que ela pressupõe, dadas as características pluriculturais tanto de nosso passado quanto de nosso presente. O uso de uma língua envolve, contudo, aspectos ideológicos e o preconceito que existe em relação a determinadas variedades é equivalente a outros, como o social, o religioso e o racial. O domínio de um português padrão é privilégio reservado a poucos membros de uma elite econômico-social que, assim, assegura o seu poder e sua primazia político-cultural. Cumpriria, a uma educação realmente democrática e igualitária, reconhecer a diversidade e com ela trabalhar, no sentido de possibilitar a todos os usuários da língua o acesso às normas prestigiadas e às mesmas oportunidades.

Assumindo a diversidade

A diferença no tratamento dado aos fatos linguísticos de homogeneidade e de unidade na visão anterior, e, na atual, de multiplicidade, ultrapassa o mero registro de formas arcaizantes e populares e vai em busca da melhor forma de descrição e análise da diversidade em todos os estratos socioculturais, no sentido de explicar as diferenças e semelhanças que existem entre as diversas variedades da língua portuguesa, não só internamente, dentro do país, mas também externamente, entre o português brasileiro e o europeu.

Essa diversidade foi durante muito tempo enfocada apenas em variantes populares, como nos glossários regionais e, mais tarde, nos atlas linguísticos, iniciados no Brasil na década de 1960, a saber, o *Atlas prévio dos falares baianos*, o *Atlas linguístico de Sergipe*, o *Esboço de um atlas linguístico de Minas Gerais*, o *Atlas linguístico da Paraíba* e o *Atlas linguístico do Paraná*, para citar apenas os atlas gerais. Só agora está em curso a elaboração de um atlas geral, o *Atlas linguístico do Brasil* (*ALIB*), tarefa cogitada há quase 50 anos, mas sempre adiada devido, entre outras razões, à extensão territorial do país, à assimetria da densidade demográfica e à falta de recursos humanos e financeiros para um empreendimento de tal vulto. O objetivo é fazer um retrato do Brasil, isto é, dar conta da diversidade existente, ou melhor, da dialetação do português, a fim de tornar viável a tão complexa delimitação de áreas próprias a cada fenômeno linguístico. Em suma, seria importante confirmar ou infirmar a tese de que as divisões dialetais no Brasil são menos geográficas que socioculturais e de que as diferenças na maneira de falar são maiores, num determinado lugar, entre um homem culto e o vizinho analfabeto do que entre dois brasileiros do mesmo nível cultural, originários de regiões distantes uma da outra.

Surgiram, ao longo dos anos, várias tentativas de traçar áreas dialetais brasileiras — algumas com base em critérios meramente geográficos —, como a do filólogo Júlio Ribeiro, de Antenor Nascentes, a do africanista Renato Mendonça, a do cientista social, Manuel Diégues Jr., entre outras. O que há de comum em todas elas é que partem sempre de fatores históricos e/ou socioculturais, sem um levantamento de traços linguísticos diferenciadores. Nascentes é o único que, ao dividir o falar brasileiro em seis subfalares (o amazônico, o nordestino, o baiano, o fluminense, o mineiro e o sulista) reunidos em dois grupos, o do norte e o do sul, apresenta um critério de natureza prosódica — que chama de cadência — e um de natureza estritamente fonética, a pronúncia das vogais antes do acento (pretônicas): vogais abertas, características da região norte, *versus* vogais fechadas, características da região sul.

Em 1953, Antenor Nascentes, que juntamente com Serafim da Silva lançou as bases para a elaboração de um atlas linguístico do Brasil, ressaltava que a divisão do nosso país em áreas linguísticas esbarrava numa grande dificuldade: a falta de determinação das chamadas "isoglossas", isto é, linhas demarcadoras de cada um

Mapa 1. Divisão das áreas linguísticas, segundo Antenor Nascentes

dos fenômenos linguísticos que singularizariam os dialetos. Isso é verdade, mas não impediu, de todo modo, a aceitação da existência de "variantes" delimitáveis. Todo brasileiro é capaz de reconhecer, intuitivamente, um grande eixo divisório entre falares do "norte" e falares do "sul": uma "cadência" do nortista e outra do sulista, vogais pretônicas abertas do nordestino e fechadas do sulista, o *s sibilado* do sulista em oposição ao *chiante* do carioca e o *r rolado* do gaúcho em oposição ao *aspirado* do carioca.

Essas características são tão marcantes que chegam a ser imitadas nos meios de comunicação de massa — nas novelas, por exemplo, assim como em programas humorísticos — sempre que se quer ressaltar, ao compor um personagem, a fala de uma determinada região geográfica. A linguagem televisiva usa e abusa desses traços singularizadores, acabando por caricaturar e igualar a fala de nordestinos e nortistas, baianos, pernambucanos, paraibanos ou cearenses, amazonenses ou paraenses. Merece menção o caso da pronúncia dental do *t* e do *d* antes do som *i* em palavras como *tipo*, *mentira*, *desde* e *ditado*. Considerada típica do falar nordestino — no qual, em geral, se inclui o falar baiano —, é exacerbada, em algumas novelas, na fala de um personagem nativo da cidade de Salvador ou do sul do estado da Bahia, sem atentar para o fato de que nessas áreas, o *t* e o *d* são tão *tch* e *dj* como o de qualquer carioca. Nessa hipercaracterização, a chamada cadência ou ritmo, sem dúvida um fator identificador da origem do falante, se resume a uma fala *si-la-ba-da*, sempre com a mesma entoação. Esse ritmo, porém, é algo mais intricado, por envolver não só duração dos segmentos vocálicos, mas também a curva entonacional da sentença, ora ascendente, ora descendente, ora neutra, ora contrastiva. Também a substituição de vogais fechadas por abertas, na composição de um tipo regional, não obedece aos condicionamentos naturais, chegando a criar pronúncias improváveis em qualquer uma das regiões, tais como *m[è]tido, [è]spécie v[ò]cês*, *s[ò]fria.*

O desconhecimento da interação de um conjunto de regras e representações é que gera, portanto, as falas caricaturais de personagens nordestinas nos diferentes meios de comunicação, e serve como motivação para crônicas como "Grilos gramaticais" do escritor João Ubaldo Ribeiro, publicada no jornal *O Globo* de 14.6.1987:

> Antigamente, nordestino não falava "só-brinho" e "té-lhado", como hoje a gente ouve, em contraposição aos "centro-sulistas" "sô-brinho" e "tê-lhado". Falava "su-brinho" e "tê-lhado" mesmo. Mas aí chegou o nortês da Rede Globo ... e até os nordestinos se convenceram de que o certo é dizer "só-brinho", que é como se escreve. A única diferença entre o escrito e o falado é a de que todo nordestino tem de abrir a vogal e todo

centro-sulista tem de fechar, em absolutamente todos os casos. Outra doidice completa, mas que já levou atores de novelas a pronunciar "vó-cê" em vez de "você", a fim de mostrar como faziam bem o sotaque nordestino.

A identificação de um falante como membro de uma determinada comunidade é complexa, pois somos surpreendidos, por vezes, por uma semelhança de pronúncia entre regiões que foge às nossas expectativas. No primeiro e único Congresso Nacional de Língua Falada no Teatro, o intelectual cearense José Liberal de Castro apresentou uma comunicação em que afirmava que, salvo o caso citado das pretônicas abertas e fechadas, as demais variantes extravasariam fronteiras, aparecendo isoladas em diferentes e distantes pontos do território nacional. Dava ainda o seu depoimento pessoal, na qualidade de nascido e criado em Fortaleza mas morador do Rio de Janeiro há mais de 12 anos, àquela altura, de que a pronúncia carioca poderia chegar a ser parecida com a do litoral cearense: se "fecharmos" as vogais pretônicas e "chiarmos" em certos *s*, *"passaremos por cariocas, não em outros estados, mas no próprio Rio"*, comprovando a possibilidade de sobreposição de pronúncias regionais.

Outra dificuldade, portanto, para estabelecer limites divisórios entre os falares brasileiros reside no fato de rarissimamente coincidirem limites administrativos com limites linguísticos e de haver faixas de interseção. O falar baiano, por exemplo, na proposta de Antenor Nascentes, é intermediário entre os dois grupos que estabelece, o do norte e o do sul, e não se restringe ao estado da Bahia, invadindo parte de Sergipe, Minas Gerais e Goiás.

A variação dialetal não é apenas privativa dos níveis populares, mas de todos os níveis em que exista diferenciação, e os atlas linguísticos, com sua ênfase na fonética e no vocabulário, e calcados apenas no falar

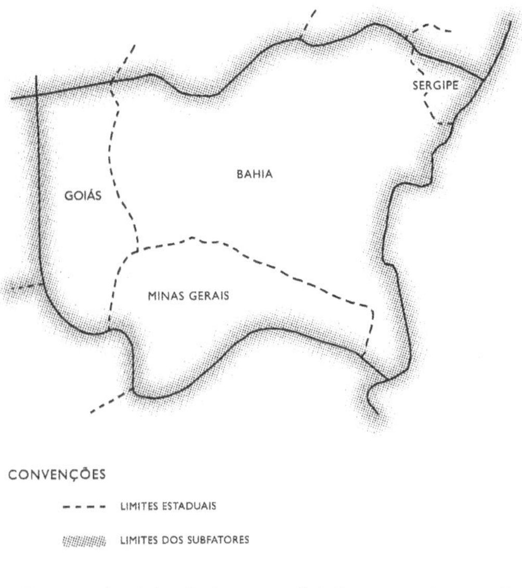

Mapa 2. Limites do *falar baiano* na divisão proposta por Antenor Nascentes

de iletrados, não poderiam, por si só, dar conta dessa imensa diversificação. A variação atinge também o nível culto, já que a norma culta padrão, consubstanciada nas gramáticas escolares, nada mais é que uma abstração. As normas cultas regionais devem ser focalizadas como fatos dialetais e essas modalidades populares devem ser estudadas precisamente à luz dessas normas locais. Foi nesse sentido que surgiu, em 1970, o Projeto de Estudo da Norma Linguística Urbana Culta (Projeto NURC), que tinha por finalidade estudar as normas linguísticas de cinco capitais brasileiras (Porto Alegre, São Paulo, Rio de Janeiro, Salvador e Recife) através da análise da fala culta média habitual. Essas cidades proporcionam uma amostra relativa a uma população urbana concentrada em quatro cidades fundadas no século XVI e uma — Porto Alegre — no século XVIII, distribuídas por nossa extensão territorial mais densamente povoada, correspondendo, *grosso modo*, às regiões geográficas do Sul (POA), Sudeste (SP e RJ) e Nordeste (SSA e RE).

Esse projeto disponibilizou uma documentação sonora de mais de 650 horas de registros magnetofônicos no país, capaz de fornecer dados sobre a língua falada, em diferentes modos de interação, entrevistas, diálogos, aulas, conferências. Desde o primeiro momento, os idealizadores do projeto brasileiro, que buscaram inspiração no Projeto Internacional sobre o Espanhol na América, pretenderam demonstrar que havia uma pluralidade de normas, normas objetivas, calcadas em dados empíricos, e não *uma* norma imposta segundo padrões externos de correção e juízo de valor. Questões do tipo como se fala hoje em determinadas comunidades, que variações há, sejam sociais, regionais, combinatórias ou distribucionais, e qual o afastamento existente entre as línguas falada e escrita poderiam encontrar aí uma resposta.

Estudos sistemáticos de vários fenômenos, nas modalidades cultas de Porto Alegre, São Paulo, Rio de Janeiro, Salvador e Recife, considerados centros urbanos irradiadores de cultura, puderam comprovar, mais uma vez, essa diversidade de falares e normas. Além disso, não se detectou, como seria de esperar, uma coincidência entre o comportamento linguístico desses falares e suas respectivas áreas geográficas: Recife, por exemplo, incluída na região Nordeste, aproxima-se, muitas vezes, mais de Porto Alegre que de Salvador. O Rio de Janeiro, cujo dialeto é considerado o "padrão" em relação aos falares brasileiros e é incluído entre os dialetos do Sul, apresenta realizações que ora o aproximam de uma região, ora de outra: no caso do *r*, de Salvador e Recife, e no caso do famoso "chiado" carioca, apenas de Recife. Em outros casos, afasta-se tanto de Recife quanto de Salvador, aproximando-se mais de São Paulo e Porto Alegre, como no uso do artigo diante de nomes de pessoas, *o João*, *a Maria,* usado mais frequentemente na região Sul, em oposição a *João*,

Maria, típico da região Norte e Nordeste e, por estranho que possa parecer, de Niterói, apenas do outro lado da ponte, dentro do próprio falar fluminense.

Assim, a escalaridade de ocorrência de cada fenômeno não se sobrepõe *pari passu* a uma continuidade geográfica. Ao menos, no que se refere a alguns aspectos fonéticos e morfossintáticos, não se pode traçar um feixe de isoglossas que determine áreas dialetais nítidas. Antes parece que cada dialeto tem uma combinação própria de atualização de regras, o que permitiria dizer que cada dialeto tem a sua "norma".

O *falar carioca* no conjunto dos falares brasileiros

Há 80 anos, o carioca Antenor Nascentes, seguindo os passos do paulista Amadeu Amaral, autor de *O dialeto caipira*, descrevia o falar do Rio de Janeiro, afirmando, no prefácio da primeira edição, que seu trabalho não era para a sua geração e que somente dali a cem anos os estudiosos encontrariam nele uma fotografia do estado da língua e neste ponto seriam mais felizes do que ele, que nada encontrara, é óbvio, do falar de 1822. Filho de pais cariocas, nascido e criado no então Distrito Federal, considerava-se um "legítimo representante da fala genuinamente carioca ... habilitado a fazer o estudo dela ...".

No Brasil, nas primeiras décadas do século XX, essa era a forma de fazer um estudo dialetal: uma monografia baseada no seu próprio falar, contrastando-o com observações assistemáticas sobre os demais falares brasileiros em oposição a um português europeu virtual. Os mapas 1, 2 e 3 são frutos do trabalho de Antenor Nascentes no sentido de delimitar, através de observações de natureza linguística, as áreas dialetais brasileiras e situar o "linguajar carioca" nesse conjunto.

Como se pode ver, a área linguística "fluminense" abrange, além do estado do Rio de Janeiro, o Espírito

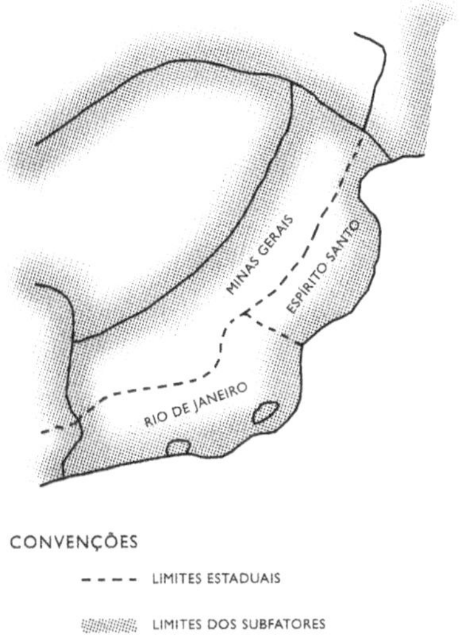

Mapa 3. Limites do *falar fluminense* na divisão proposta por Antenor Nascentes

Santo e uma zona de Minas Gerais (Mata e parte do Leste). O linguajar carioca seria uma variedade do subfalar fluminense.

A cidade do Rio de Janeiro costuma ser caracterizada como um espaço de contrastes, seja no plano geográfico, seja no plano socioeconômico, e é raro encontrar, no mundo atual, uma cidade tão diversificada. Esse quadro não é recente, a julgar por depoimentos de viajantes que passaram pela cidade no século XIX, e que contribuíram para traçar o perfil sociolinguístico do local: *os diferentes idiomas da multidão dessa gente, de todas as cores e vestuários, se cruzam.*

A existência, de um lado, de um Rio localizado entre as montanhas e o mar e, de outro, de uma cidade que se estende por uma área de baixada, "depois" da montanha, justifica a diferença no plano geográfico. É no âmbito socioeconômico, porém, que o contraste mais se evidencia, e foi em função disso que a capital fluminense foi escolhida para ser o primeiro município a ter seu próprio Relatório de Desenvolvimento Humano, feito em parceria pelo Programa das Nações Unidas para o Desenvolvimento (PNUD), o Instituto de Pesquisa Econômica (IPEA) e a Prefeitura, conforme publicado no jornal *O Globo* de 24.3.2001.

As razões dessa diferenciação não se apoiam diretamente na geografia da cidade, embora as diferenças sociais estejam relacionadas às diferenças geográficas. Na verdade, ela tem origem no processo de mobilidade que se desenvolveu, a partir do século XIX, e que levou diferentes classes sociais a ocuparem pontos urbanos diversificados. A expansão da cidade conduziu, *grosso modo*, à oposição *orla versus interior*, ou *zona sul versus resto da cidade*. Até o início do século XIX, o Campo de Santana marcava o limite norte-urbano do Rio e se tornou a unidade espacial em torno da qual caminhou a expansão norte urbana, no decorrer do século, através da implantação do projeto da Estrada de Ferro D. Pedro II, em 1850. A cidade, de início, dividia-se em diversas freguesias ou paróquias, passando a abranger, mais tarde, os territórios de jurisdição administrativa. A mobilidade espacial/populacional era privilégio de poucos e talvez possa explicar, em parte, as diferenças linguísticas que existem hoje na fala de moradores das tradicionais áreas da cidade — Zona Norte, Zona Sul e Zona Suburbana, esta última com resquícios de características rurais e abrangendo toda a área residencial e industrial constituída ao longo das linhas férreas a partir das últimas décadas do século XIX.

São os diversos aspectos caracterizadores da mobilidade econômica, cultural e social que marcaram o Rio de Janeiro nos últimos dois séculos que tornam possível entender a dinâmica linguístico-educacional neste terceiro milênio. Os resultados do Relatório de Desenvolvimento Humano apontam um Rio de contradições, em que a escolaridade mais alta é a da Zona Sul, com 11 anos, seguida da Zona Norte, com 9, e dos subúrbios, com quase 7. Com esse quadro, o nível educacional na Zona Suburbana se assemelha ao das capitais do Nordeste. Não há, porém, uma igualdade nem mesmo dentro de uma única zona, já que Madureira-Jacarepaguá é a única área do subúrbio em que a escolaridade média supera 8 anos de estudo e mais de 17% da população adulta possuem curso superior. A tese de que a migração elevou a escolaridade dos cariocas adultos não se confirma, uma vez que a média da população migrante, de 6,9, é menor que a da nascida na cidade, de 8,8. De todo modo, na cidade do Rio de Janeiro, a escolaridade média de 8,2 é 2,7 anos acima da média nacional.

O Rio de Janeiro representaria, por assim dizer, um denominador comum da realidade brasileira por ocupar dentro do país uma posição privilegiada, com a menor taxa de analfabetismo entre as 12 maiores capitais do país e com um em cada cinco adultos, pelo menos, tendo iniciado o curso superior. A escolaridade média da população é de 8,2 anos, taxa insatisfatória para os padrões dos países desenvolvidos, mas bem acima da média nacional de 5,5 anos. Esses dados de natureza educacional (publicados em *O Globo* de 12.5.2001) poderiam servir como argumentos na defesa de que a linguagem do Rio de Janeiro é o "padrão" nacional. Ressalte-se, porém, que o bom nível educacional não está igualmente distribuído pela cidade, estando a população com nível superior concentrada na Zona Sul e nos bairros ricos da Zona Norte, distribuição que, sem dúvida, terá relação com as diferenciações linguísticas existentes, como já foi comprovado. A cidade abriga, em seus limites geográficos, bairros como a Lagoa, cuja renda familiar *per capita* média de R$2.126 chega a ser quase 23 vezes maior que a dos moradores da área rural de Santa Cruz, de R$93.

Em relação à escolaridade, o Rio de Janeiro mostra uma grande diferença de São Paulo, o maior contingente populacional do país. Na capital paulista, a escolaridade média é de 7,44, contra 8,16 dos cariocas. No que se refere à educação superior, o Rio de Janeiro, com média de 19,75%, perde apenas para Porto Alegre, Vitória e Curitiba. Em alfabetização, o Rio saltou de terceiro lugar, em 1980, para primeiro lugar, na década de 90, com uma população analfabeta de apenas 3,4%.

Para exemplificar a diferenciação por área geográfica de residência, numa perspectiva linguística, pode-se tomar como ponto de referência a distribuição do *r*, consoante que apresenta várias possibilidades de pronúncia, desde uma realização considerada padrão, mais conservadora, de vibrante anterior, o chamado *r* "rolado", mais frequente nos falares gaúcho e paulista, até uma aspiração ou ausência do segmento, em final de infinitivos, como em *tomá(r), fazê(r)*, realizações mais inovadoras. Dentro do Rio de Janeiro, quanto à fala culta, é a Zona Suburbana que se revela mais inovadora e estável, com frequência maior de aspiradas (56%), mas, por outro lado, com o maior índice de preservação do segmento no contexto final dos verbos, embora essa preservação se atualize quase sempre através de uma leve aspiração. A Zona Sul é mais instável, apresenta quer as realizações mais conservadoras, de maior prestígio, quer as mais inovadoras, no mesmo contexto. A Zona Norte ora se aproxima de uma, ora de outra, com percentual significativo da forma mais conservadora, talvez por ser uma área de ocupação mais antiga e tradicional da cidade.

Na opinião de alguns, a diferença nítida entre o *r* do interior paulista e o do falar carioca só se acentuou na segunda metade do século XIX, com a imigração portuguesa. Há referências também ao fato de, por volta de 1860, os baianos poderem distinguir a fala "bastante aportuguesada" do sotaque fluminense. Mesmo distante da era do rádio e da televisão, o falar do Rio de Janeiro já era utilizado como base de comparação para moradores de outras províncias.

Outra marca reconhecida da pronúncia carioca é a palatalização do *s*, o famoso "chiado", que parece ter sido introduzido no Rio de Janeiro no início do século XIX, trazido pela corte de D. João VI. Essa tese é contestada por alguns, embora outros admitam haver uma relação entre o fato histórico e o linguístico. Restaria por explicar a ocorrência desse som "chiante" em grandes contingentes de Pernambuco e Alagoas, além de em outros pontos esparsos, conforme já atesta um dos dialetólogos brasileiros, Mário Marroquim, ao descrever a língua do Nordeste.

A constatação de que a Zona Sul, onde é mais acentuada a interação sociocultural e espacial, apresenta maior grau de oscilação de pronúncia (70% de *s* "chiado" *versus* 30% de *s* "não chiado"), à semelhança dos resultados relativos ao *r*, sugere a necessidade de levar em conta a migração de indivíduos procedentes de outras regiões do país para as diversas áreas da cidade. No Centro, área inicial de residência da corte portuguesa, o índice de *s* "chiado" chega a 96%.

Convém lembrar que a vinda da corte portuguesa impôs uma série de mudanças na cidade e fez surgir uma classe social até então inexistente. A cidade pouco a pouco passou a ser movida por lógicas distintas, a escravista e a capitalista, com reflexos no espaço urbano e a separação de usos e classes que se amontoavam no antigo espaço colonial: brancos e negros, livres ou escravos. Pelo relatório de 1873 da Diretoria Geral de Estatística, o chamado Município Neutro — que corresponde à cidade do Rio de Janeiro — contava com uma população total de 274.972, sendo 226.033 homens livres e 48.939 escravos.

A expansão urbana não foi acompanhada de uma preocupação social igualitária e não beneficiou as áreas em que as camadas mais pobres da população residiam. Deu-se, algumas vezes, o encontro de grupos pertencentes às classes mais baixas da população com outros provenientes de setores mais ricos da sociedade, mas nunca houve interação total entre eles, pois o conceito de hierarquia social estava demasiadamente infiltrado na sociedade. Pode-se sugerir que a polarização geográfico-social refletiria uma oposição linguística, com a presença, em lados opostos, de dois possíveis personagens da história do falar carioca: um mais popular, originário dos contatos estabelecidos ao longo de três séculos, e outro mais próximo ao português europeu, originário do novo contingente populacional que chegou aqui. Assim, a chamada polarização sociolinguística situaria, em um pólo as *normas vernáculas* ou *populares* e, em outro, as *normas cultas*. As *normas populares* ou *vernáculas* corresponderiam aos usos dos falantes menos escolarizados e as *cultas* aos usos dos falantes mais escolarizados, essas, por sua vez, distintas da *norma padrão*, que corresponderia aos modelos preconizados pelas gramáticas normativas.

No que se refere à alfabetização, havia, pelo menos até o final do século XIX, uma grande diferença entre a população masculina e feminina: enquanto 95% dos homens sabiam ler e escrever, apenas 58% das mulheres tinham essas habilidades. Essa proporção não surpreende, uma vez que durante 322 anos — de 1500 a 1822, período em que o Brasil foi colônia de Portugal — a educação feminina ficou geralmente restrita aos cuidados com a casa, o marido e os filhos. A instrução era reservada aos filhos/homens dos indígenas e dos colonos. Tanto as mulheres brancas, ricas ou empobrecidas, como as negras escravas e as indígenas não tinham acesso à arte de ler e escrever. O texto abaixo, extraído de um editorial publicado no *Jornal da Sociedade de Agricultura, Comércio e Indústria da Província da Bahia* em 1833, é ilustrativo dessa postura, que extrapola o Rio de Janeiro:

> O destino das mulheres, pelo contrario, he differente do dos homens, quer na Ordem Social, quer na da natureza. Seja qual for sua pozição, e o lugar, que tenhão de occupar um dia, a sua condicção na Sociedade não he a de comparecer em publico, exercer empregos, prehencher cargos, tomar assento nas Assembleas, marchar contra o inimigo, cultivar as Artes mecanicas, exercitar trabalhos exteriores: mas o viver na familia, o cuidar do arranjo domestico, por que ahi he que as mulheres se fazem estimaveis. Sendo pois a sua educação de deveres a cumprir no interior, deve a sua instrucção conformar-se toda á este fim; e portanto a instrucção recebida na casa paterna he a que mais lhes convem; pois que tem a vantagem de formal-as logo da infancia ás minuciosas circunstancias da economia domestica, e de lhes imprimir o espirito de modestia, de paciencia, de ordem, e a doçura de caracter, principios fecundos de todas as suas boas qualidades, bem como de sua felicidade ...

Só mais recentemente as mulheres passaram a ter um papel economicamente mais ativo nos grandes centros urbanos. E a diferença hoje existente na fala de homens e mulheres com curso universitário completo, registrada em estudos realizados numa perspectiva sociolinguística, talvez tenha tido sua origem nessa política seguida por vários séculos e que nem mesmo os movimentos feministas atuais conseguiram anular integralmente.

Sexo, idade e variação linguística

Os gêneros masculino e feminino são categorias procedentes de uma construção histórica, cultural e social e, na sociolinguística, a diferença entre a fala de homens e mulheres é objeto de permanente discussão. Além de a questão contar com extensa bibliografia, já ficou demonstrado ser essa diferenciação um fator condicionante da heterogeneidade linguística. Louis Gauchat, ao estudar a fala da localidade de Charmey, na Suíça, no início do século XX, verificou que as mulheres eram mais propícias às inovações, apresentando realizações de vogais que corresponderiam a um estágio mais avançado do processo de mudança vocálica. Os estudos dialetológicos clássicos, por sua vez, tinham procurado mostrar que se por um lado as mulheres tendiam a manter traços arcaizantes, por outro aceitavam mais facilmente os neologismos, apresentando maior instabilidade na fala que os homens. Poderíamos resumir afirmando que, em geral, a geografia linguística, de base rural, vê a fala feminina como conservadora, enquanto a dialetologia urbana, pelo menos a dos grandes centros, a vê como inovadora. A justificativa para essa inversão estaria talvez no fato de, num grande centro urbano, nos últimos anos, a mulher ter passado a desempenhar outros papéis que não apenas o de "dona de casa prendada".

Para ilustrar como fenômenos sociais estão intrinsecamente ligados a fenômenos linguísticos, tomemos como exemplo o processo de apagamento do *r* em posição final. Considerado uma mudança "de baixo para cima", usado nas peças teatrais de Gil Vicente para caracterizar a fala de negros, tem hoje um uso irrestrito, não sendo privativo de mulheres ou de qualquer etnia, classe social ou nível de escolaridade. São as mulheres jovens, contudo, que, em termos percentuais, utilizam mais frequentemente a variante marcada e mais inovadora, apagando o *r* final nas formas verbais do infinitivo. Isso talvez indique que esse tipo de pronúncia não seja mais estigmatizado. Por outro lado, as mulheres adultas acima de 36 anos diminuem sensivelmente o percentual de uso, comportamento esse oposto ao dos homens, e que talvez denote que uma marca negativa ainda persiste. As mulheres, na fase de fixação no mercado de trabalho, teriam, assim, um maior cuidado em sua utilização da linguagem, a fim de não acrescentar um outro critério discriminatório.

No que tange ao "chiamento", uma mudança considerada de "cima para baixo", por imitação ao falar da corte portuguesa, parece estar envolvida, questão de natureza diversa, a de identidade regional, não havendo diferença entre jovens e adultos nem tampouco entre homens e mulheres, no Rio de Janeiro.

A generalização que se pode fazer sobre as diferenças existentes entre a linguagem masculina e feminina é a de que a identidade homem/mulher interage com outras identidades culturais, não podendo ser vista isoladamente, e sim em conjunto com outros fatores. A interação gênero/faixa etária desempenha papel de importância na análise do processo de mudança linguística.

Para uma caracterização dos falares brasileiros

As propostas de descrição dialetal baseavam-se, de início, na introspecção da própria fala ou em impressões assistemáticas e generalistas, sob a forma monográfica. Tentativas de caracterizar o falar brasileiro padrão através de uma "média aritmética" que correspondesse ao tipo de pronúncia majoritária no Brasil, sem incorrer no equívoco de comparar contingentes populacionais diferenciados, social e regionalmente, e opor a variante popular da região *x* à variante culta da região *y* não tiveram continuidade. A partir da década de 1960, surgem os atlas linguísticos que incidem apenas sobre a linguagem popular e umas poucas áreas do território nacional.

Trabalhos com metodologia quantitativa rigorosa só tiveram início, no Brasil, a partir da década de 1970, com a utilização de programas computacionais de análise variacionista. Pôde-se daí confirmar que se contrapõem não só normas gerais distintas nas várias modalidades nacionais, mas também normas específicas internas em cada uma delas. Os fenômenos linguísticos enfocados abrangem cinco áreas urbanas, falantes com curso superior completo, do sexo feminino e masculino, distribuídos por três faixas etárias: 25-35 anos, 36-55 anos e 56 anos em diante.

A fonética da fala culta

Vocalismo átono

Nos estudos sobre o português, as vogais pretônicas têm sido consideradas um fator de diferenciação não só entre os falares brasileiros, mas também entre o português do Brasil e o de Portugal. Para o português do Brasil, as vogais pretônicas, grafadas *e* e *o*, estabelecem a linha divisória entre os falares do Norte, que em geral optam pela realização aberta, e os falares do Sul, que geralmente optam pela realização fechada.

Para a determinação dos limites relativos a essas vogais, compararam-se dados de Porto Alegre, Rio de Janeiro, Salvador, Recife e São Paulo, obtendo-se os seguintes percentuais no que se refere às pretônicas médias abertas [ɛ] e [ɔ]: 60% em Salvador, 47% em Recife, 5% no Rio de Janeiro, 0% em São Paulo e 0% em Porto Alegre.

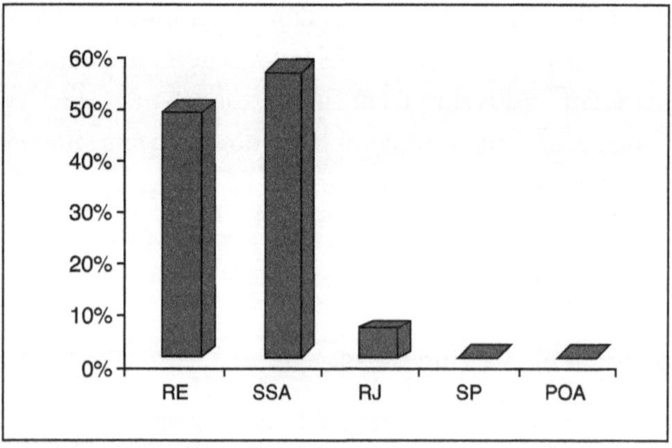

Figura 1. Percentuais de vogais médias pretônicas abertas em Salvador, Recife, Rio de Janeiro, São Paulo e Porto Alegre

A comparação entre os percentuais de cada cidade mostra que em Porto Alegre e São Paulo não há ocorrências de vogais médias abertas, no Rio de Janeiro o percentual é insignificante e em Salvador e Recife há uma predominância das vogais abertas. Confirma-se, assim, a previsão de Antenor Nascentes e pode-se traçar uma linha que separe Salvador e Recife das demais cidades.

A opção por uma vogal baixa aberta, [ɛ] ou [ɔ], ou alta fechada, [i] ou [u], obedece a condicionamentos estruturais e sociais, sutilezas que passam desapercebidas aos falantes e ouvintes. O primeiro condicionamento é a presença de uma vogal alta ou baixa na sílaba acentuada, como em *c[u]ruja e p[i]rigo*, em vez de *coruja* e *perigo, P[ɛ]lé* e b[ɔ]lota, em vez de *Pelé* e *bolota*. As consoantes adjacentes são também condicionadoras do processo de elevação. A lateral palatal, grafada *lh*, tem o efeito de altear a vogal (*c[u]lher* e *m[i]lhor*). As consoantes labiais (*p/b, f/v, m)* provocam a elevação apenas de *o*, como em *m[u]leque*, *b[u]neca*, apesar da presença em sílaba tônica de uma vogal aberta. A vogal pretônica da palavra *melhor* chega, em algumas áreas, a admitir as três pronúncias, *m[e]lhor*, *m[i]lhor* e *m[ɛ]lhor*, a primeira, em que nenhuma regra se aplica, já que a elevação e abaixamento são processos facultativos, a segunda, em que atua a consoante *lh*, e a terceira, em que o fator condicionante é a vogal aberta da sílaba tônica.

A oposição entre a fala de homens e mulheres faz-nos pensar numa sociedade cindida, a julgar pelos percentuais de uso do processo de elevação (*e* → *i* ; *o* → *u*), mas não no de abaixamento (*e* → ɛ ; *o* → ɔ), na cidade de Recife. As mulheres apresentam maior percentual de aplicação da regra de elevação que os homens, o que pode ser um indício de que as mulheres estão liderando um processo de mudança, isto é, seriam elas mais inovadoras por estarem usando as variantes típicas da geração mais nova.

A distribuição dos resultados por faixas etárias mostrou, no caso das pretônicas, que, no Rio de Janeiro, a elevação é mais frequente nos falantes mais velhos (mais de 56 anos), diminuindo gradativamente nas gerações mais jovens (25-35 anos). Já em Recife é a geração mais jovem, e não a mais velha, que preferencialmente alteia a vogal, tanto a anterior *e*, quanto a posterior *o*. Esse comportamento inverso nas duas cidades, uma do Nordeste e outra do Sudeste, não é surpreendente, uma vez que o processo mais comum em Recife é o do abaixamento da vogal e são os mais idosos que utilizam com maior frequência a vogal aberta. Admitindo-se que faixa etária corresponde a estágios temporais aparentes, os falantes mais velhos sendo depositários de formas mais antigas, pode-se supor que a forma inovadora, a preferencial dos mais jovens, em Recife, seja o alteamento, e, no Rio de Janeiro, seja a manutenção da vogal média, já que o abaixamento não passa de 5% e atinge um número restrito de vocábulos.

As consoantes pós-vocálicas

Os fonemas *s*, *r* e *l* apresentam, em posição final de sílaba, variações significativas e prestam-se à caracterização dos dialetos regionais. A tendência expressa pelas variações dos fonemas parece ser a já observada em quase todas as línguas: a posteriorização do ponto de articulação da consoante, acompanhada de um processo de enfraquecimento e perda, se em final de palavra. Tecnicamente, tem-se como possibilidades de realização do *r*, em palavras como *rato, carro, carta*, uma vibrante ápico-alveolar múltipla, uma fricativa velar, uma mera aspiração e, em palavras como *amor* e *cantar*, até mesmo a ausência do segmento. Ocorre ainda, em raros casos, uma vibrante retroflexa, o famoso *r* caipira. O *s* pode ser "chiado" ou "sibilante", uma aspiração ou zero, excepcionalmente, em palavras como *rosto, cisco, mesmo, luz, pires.* O *l* admite basicamente duas possibilidades: uma variante vocalizada, que leva à confusão na escrita de formas como *mal e mau*, e outra velarizada, que ficou célebre graças aos pronunciamentos de políticos gaúchos no rádio. (Os resultados aqui apresentados estão baseados na audição de 30 fitas magnetofônicas, 4.334 ocorrências de *r*, 9.026 de *s* e 2.595 de *l*.)

O r *pós-vocálico*

O estudo quantitativo da distribuição de variantes nas cinco capitais mostrou que São Paulo e Porto

Alegre opõem-se nitidamente ao Rio de Janeiro, Salvador e Recife nos índices de frequência das variantes. Em São Paulo e Porto Alegre, a vibrante simples apresenta percentuais muito próximos: 62% e 68%. No Rio de Janeiro, Salvador e Recife, a variante quase não ocorre. No que tange à fricativa velar, São Paulo e Porto Alegre apresentam um índice muito baixo de ocorrência. No Rio de Janeiro e em Salvador é essa a realização mais frequente: 39%. Em Recife, esse percentual baixa para 28%. Por outro lado, em relação à fricativa aspirada, variante ausente em São Paulo e com percentual de 1% em Porto Alegre, é em Recife que se encontra o índice mais alto, 38%, enquanto Rio de Janeiro e Salvador têm 23% e 25%, respectivamente.

A diferença entre as duas áreas fica ainda mais nítida se considerarmos apenas o contexto final de sílaba, no interior do vocábulo, e opusermos a realização anterior (vibrante apical simples e múltipla) à realização posteriorizada (fricativa velar, aspiração), como se pode ver na Figura 2, em que se apresentam os percentuais de posteriorização do *r* em posição medial.

Os resultados permitem traçar, mais uma vez, uma linha divisória que separa São Paulo e Porto Alegre de Rio de Janeiro, Salvador e Recife, os primeiros privilegiando as variantes vibrantes apicais e os segundos, as variantes não vibrantes posteriores.

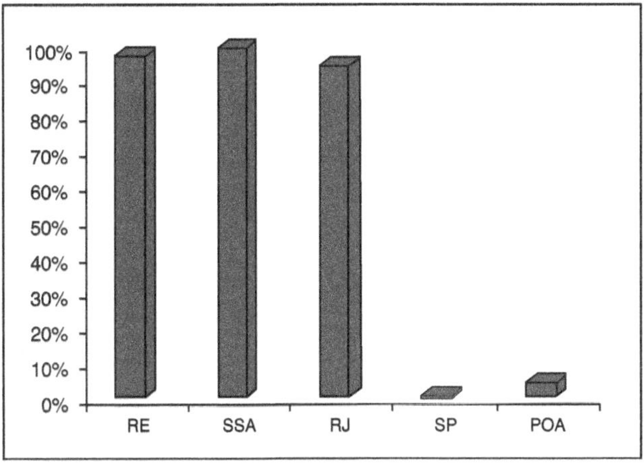

Figura 2. Não vibrante posterior nas cinco cidades

O s *pós-vocálico*

Palavras como *cisco* e *mesmo* podem ser pronunciadas com um *s* "sibilante" ou "chiado", a depender do dialeto. Análises quantitativas evidenciam que São Paulo e Porto Alegre têm uma distribuição praticamente idêntica, com predomínio quase absoluto da realização alveolar. No Rio de Janeiro, por outro lado, predomina a realização palatal, comportando-se Recife de forma semelhante, embora com percentual mais baixo, 69%. Salvador, por sua vez, apresenta uma distribuição equilibrada das duas variantes.

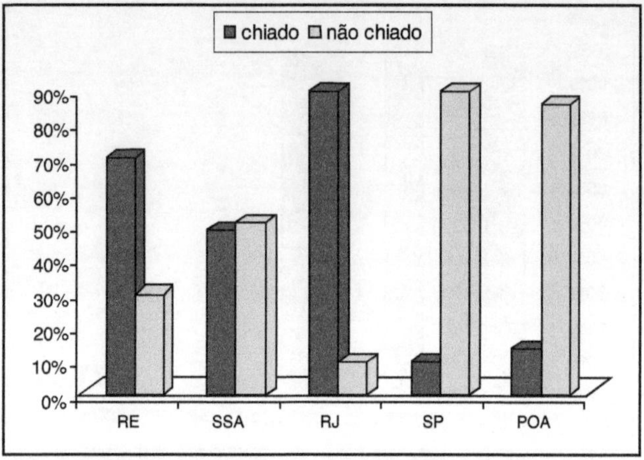

Figura 3. "Chiamento" *versus* "não chiamento"

Observa-se, portanto, de novo, uma oposição "sul/norte", caracterizando-se a primeira pela não palatalização (realização sibilante). A região "norte", entretanto, não apresenta comportamento homogêneo: de um lado Recife e Rio de Janeiro ostentam um elevado grau de "chiamento", em oposição a Salvador.

Esses dados corroboram em parte a divisão de áreas linguísticas proposta por Antenor Nascentes, que admite um falar baiano que se opõe aos falares nordestino, sulista e fluminense. Assim, no Mapa 4, uma linha divisória separa Porto Alegre e São Paulo de Rio de Janeiro, Salvador e Recife, e a maior aproximação entre Rio de Janeiro e Recife é assinalada pela circunscrição de Salvador.

O l *pós-vocálico*

O material examinado confirma um fato público e notório: a vocalização da lateral é geral em todo o país. Não pode ser considerada um traço da fala popular restrito a algumas áreas, como Ceará e Rio de Janeiro, como se poderia pensar, a julgar por textos clássicos. Comparando a fala culta de São Paulo, Rio de Janeiro, Salvador, Recife e Porto Alegre, é fácil perceber que Porto Alegre se distingue das demais, sendo a realização alveolar/velar praticamente exclusiva dessa capital.

Além disso, a pronúncia vocalizada concorre em Porto Alegre com a pronúncia velar/alveolar, com predomínio da primeira entre os jovens, o que indicaria uma mudança em progresso, mas apenas para os ho-

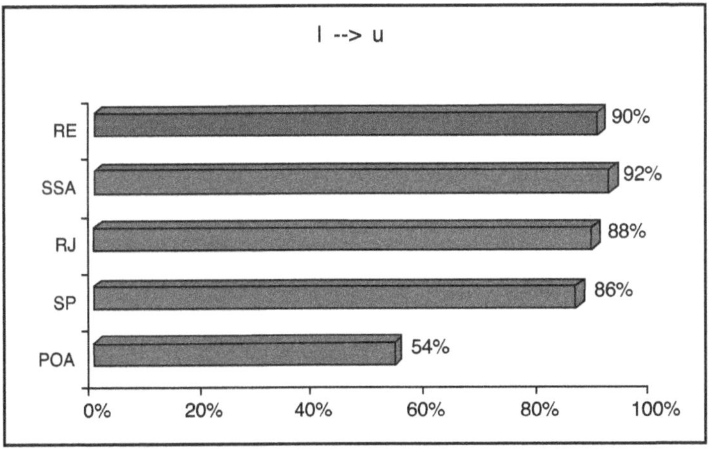

Figura 4. Vocalização do *l*

mens. As mulheres apresentam outra configuração de uso, em que se igualam jovens e idosos em contraste com os adultos, o que corresponde a uma variação estável.

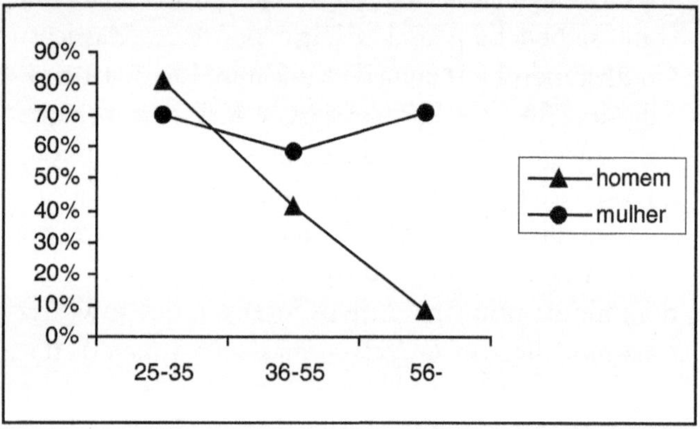

Figura 5. Distribuição de uso da variante vocalizada do *l* por gênero/faixa etária na cidade de Porto Alegre

Padrão entonacional em estruturas de tópico

O *ritmo da frase*, ou cadência, pode ser considerado um tema de apaixonante discussão, que supera mesmo, na maioria das vezes, a *diferenciação fônica* na percepção auditiva do interlocutor. É justamente aí que fica ressaltada a maneira de falar nordestina em relação às outras áreas, principalmente para as pessoas que têm bom ouvido. Não é propriamente a pronúncia de um determinado som por um cearense, pernambucano ou amazonense que pode chocar um falante carioca; é o modo peculiar de falar "cantando" dos primeiros e não do último, que não "canta", embora todos pronunciem as vogais pretônicas abertas.

A análise realizada na fala culta das cinco capitais abrange apenas as curvas entonacionais relativas às chamadas construções de tópico, isto é, aquelas construções em que um sintagma nominal aparece deslocado à esquerda da sentença e corresponde, em geral, ao tema da conversa, como "*a passagem*, eu compro a prazo", "*o carro*, o pneu furou", "*drama*, já basta a vida". Foram estabelecidos sete padrões entonacionais com a finalidade de verificar se haveria um padrão característico de cada região:

1. Ascendente simples: apresenta uma subida melódica na sílaba tônica final ou na pós-tônica.
2. Ascendente duplo: duas modulações ascendentes.
3. Ascendente/descendente: modulação ascendente na primeira tônica, alta até a pretônica final, descendo na última tônica.
4. Ascendente contrastivo: modulação ascendente na pretônica ou na tônica, e, neste último caso, mais acentuada que o padrão ascendente simples.
5. Descendente: modulação descendente na tônica final.
6. Neutro: tessitura normal, sem modulação.
7. Alto: tessitura alta, sem modulação.

Verificou-se que há, na verdade, uma distribuição regional mais nítida no que se refere ao padrão descendente. A Figura 6 apresenta os percentuais de ocorrência dos três padrões básicos, ascendente (simples, duplo ou contrastivo), descendente e sem modulação (tessitura neutra ou alta):

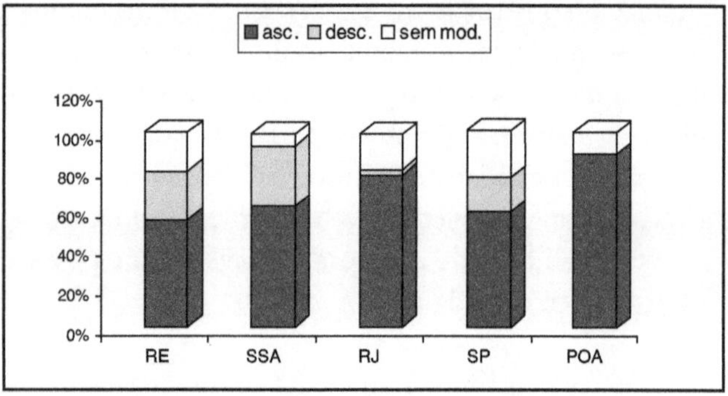

Figura 6. Padrões entonacionais nas construções de tópico

Assim, Porto Alegre se singulariza por uma não ocorrência do padrão descendente e total predominância do padrão ascendente (89%). O Rio de Janeiro aproxima-se da distribuição de Porto Alegre, embora dele difira pela possibilidade mínima de um padrão descendente. Ocupa, em geral, uma posição intermediária entre Salvador e Recife de um lado e São Paulo e Porto Alegre de outro. No caso específico, está mais próximo de Porto Alegre que de São Paulo. As cidades de Salvador e Recife mais uma vez apresentam comportamentos semelhantes, embora o padrão descendente seja mais característico da primeira. Os dados referentes a esse padrão é que permitem traçar uma linha que separa Salvador, Recife e São Paulo de Porto Alegre e Rio de Janeiro, conforme Mapa 4.

Os sotaques sintáticos da fala culta

Conquanto as diferenças que chamam de imediato a atenção de qualquer usuário de uma língua fossem as de pronúncia, e não se esperassem nítidas diferenças entre as cinco cidades na análise de fatos gramaticais, tornou-se evidente, conforme palavras do linguista Fernando Tarallo, a existência de "sotaques sintáticos".

O artigo definido diante de nomes próprios e de possessivos

O português do Brasil apresenta um aspecto diverso da maioria das línguas românicas: a possibilidade de emprego de artigo diante de possessivos, *o meu livro*, e diante de antropônimos, *a Maria*. Esses usos variáveis são mencionados na gramática normativa, mas não se estabelece uma correlação entre os dois. O uso diante de antropônimos é normalmente considerado indicativo do grau de intimidade entre falantes e, embora não estigmatizado ou valorizado socialmente, é evitado em textos jornalísticos e técnicos que utilizam uma linguagem menos marcada, mais impessoal. O mesmo não se aplica aos textos literários, em que o uso do artigo pode ter uma função estilística.

Sabe-se que houve um aumento gradual de uso do artigo nos dois contextos nos últimos séculos, mas sua frequência de uso é assimétrica: diante de possessivos é alta e diante de nomes próprios é neutra, se anuladas as distinções existentes entre as diversas áreas do território brasileiro. No Brasil, na verdade, o uso do artigo diante de nomes personativos obedece a uma distribuição regional nítida e é suficiente, por si só, para determinar a região de origem do falante. A frequência aumenta à proporção que se vai do nordeste para o sul do país, embora cada cidade apresente um comportamento interno heterogêneo em relação a homens e mulheres, jovens e idosos. O comportamento dialetal diferenciado poderia apoiar-se, além de em critérios históricos, na diferença entre o ritmo silábico e o ritmo acentual, geralmente considerados, respectivamente, característicos dos falares "nortistas" e "sulistas". Os primeiros tenderiam a não empregar o artigo e os últimos a empregá-lo.

Em termos absolutos, a distinção se situa no Rio de Janeiro e em São Paulo. Enquanto, diante dos possessivos os falantes do Rio de Janeiro e de São Paulo ficam

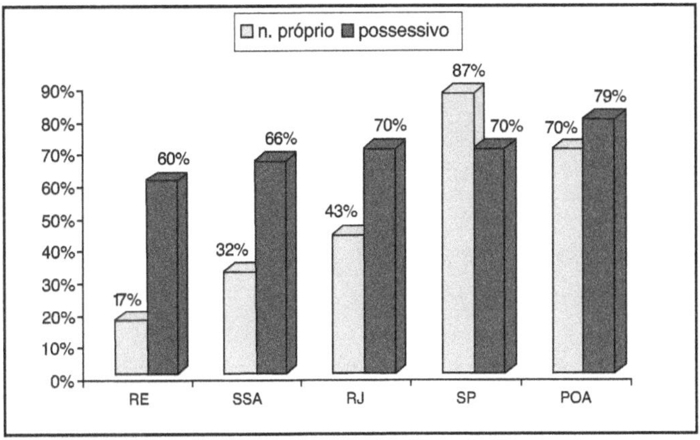

Figura 7. Distribuição regional de uso do artigo diante de nomes próprios e de possessivos

a meio caminho entre "norte" e "sul", diante dos antropônimos os falantes de São Paulo são os que mais utilizam o artigo.

Os limites relativos à frequência de uso diante de nomes próprios são mais nítidos: São Paulo e Porto Alegre opõem-se a Recife e Salvador, o Rio de Janeiro permanecendo numa posição intermediária.

Alternância nós/a gente

A inclusão da expressão *a gente* no quadro dos pronomes pessoais já motivou pesquisas tanto na fala culta quanto na popular. No português do Brasil, a distribuição de uso de *a gente* e *nós* é mais ou menos equilibrada: 56% e 44%, respectivamente. Não se encontram grandes divergências entre as cinco capitais brasileiras, mas o Rio de Janeiro é a capital onde mais se usa *a gente* (59%) na função de sujeito, enquanto as demais cidades ainda privilegiam o emprego de *nós*, conforme se pode ver na Figura 8.

Os percentuais de uso indicam que a substituição de *nós* por *a gente* ainda não atingiu na norma culta o mesmo nível de aceitação que se verifica na fala popular. Na década de 90, na verdade, a forma inovadora atingiu 75% no Rio de Janeiro e nos jovens ultrapassou 90%. Esse fato sugere uma substituição acelerada de *nós* por *a gente* nos últimos 20 anos.

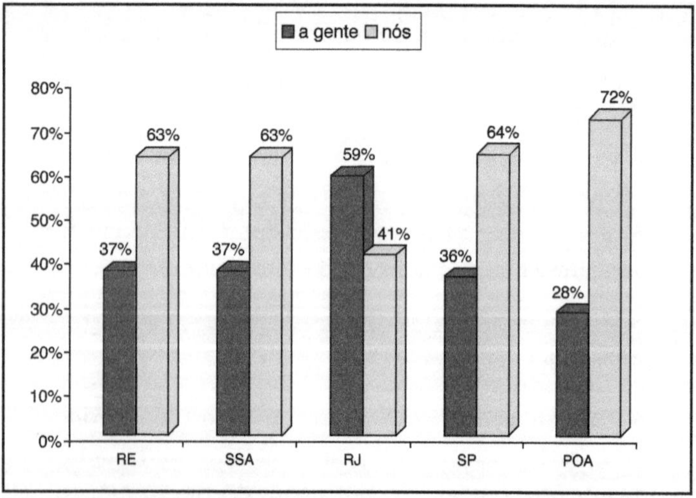

Figura 8. Percentuais de uso de *nós* e *a gente*

Ter por haver em construções existenciais

Costuma-se dizer que a substituição de *haver* por *ter*, em estruturas existenciais, constitui uma das marcas que caracterizam o português do Brasil, em oposição ao português de Portugal e à semelhança do de Angola e Moçambique.

Na modalidade oral culta do português brasileiro contemporâneo, a penetração de *ter* ainda não se completou. Observando os mesmos cinco centros urbanos, a partir de gravações realizadas na década de 70, verifica-se, mais uma vez, que há diferenciação regional. No Rio de Janeiro, na década de 90, o uso de *ter* já alcançava 78% e, nos mais jovens, de 25 a 35 anos, chegava a atingir 97%. Mesmo na década de 70, são os jovens que apresentam um uso maior de *ter*, oscilando entre 77 e 89%, com exceção de Salvador, cujos falantes da faixa intermediária, entre 36 e 55 anos, é que usavam preferencialmente *ter* (90%). Salvador apresenta um

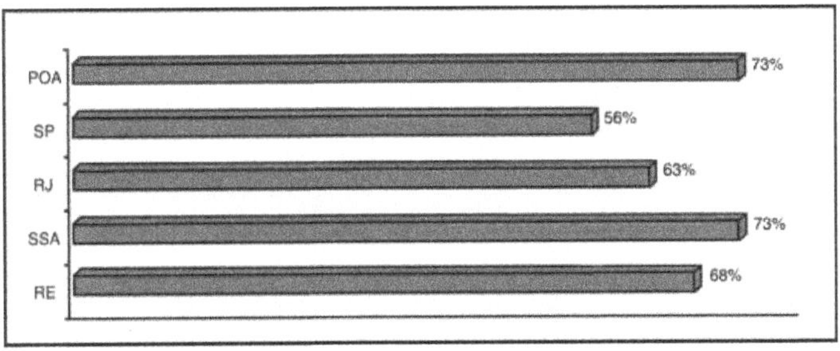

Figura 9. Uso de *ter* em estruturas existenciais

comportamento diferenciado também no que se refere à distinção de gênero: é a única cidade, das cinco analisadas, em que os homens usam mais *ter* que as mulheres.

A análise de textos jornalísticos, no período de 29.10 a 8.11.1999, em três jornais, *O Globo, O Dia* e *Povo do Rio,* o primeiro enquadrado entre *os de qualidade* — que fornecem informação sóbria e séria e que gozam de prestígio junto às classes A e B — e os dois últimos considerados *populares* — cujo principal objetivo se restringe ao número de cópias de cada edição —, evidencia que a substituição de *haver* por *ter* já atingiu a língua escrita. No jornal *O Globo*, como seria de esperar, ainda se verifica uma preferência pela variante padrão, com

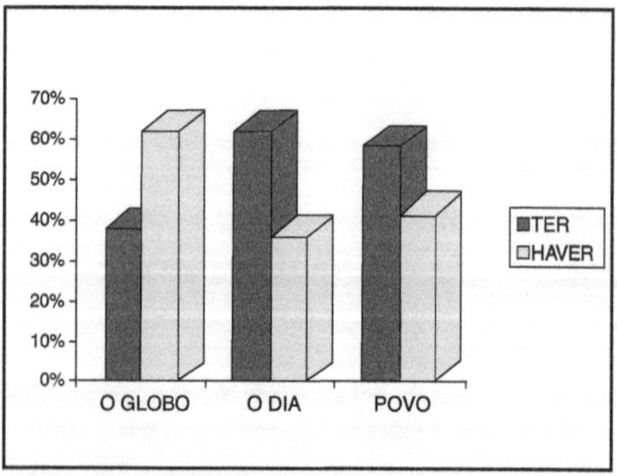

Figura 10. Distribuição de uso de *ter* e *haver* por jornal (década de 90)

predomínio do verbo *haver*, enquanto nos jornais mais populares, o percentual maior é de *ter*.

Normas, pluralismo etc.

A variação existente hoje no português do Brasil, que nos permite reconhecer uma pluralidade de falares, é fruto da dinâmica populacional e da natureza do contato dos diversos grupos étnicos e sociais nos diferentes períodos da nossa história. São fatos dessa natureza que demonstram que não se pode pensar no uso de uma língua em termos de "certo" e "errado" e em variante regional "melhor" ou "pior", "bonita" ou "feia". No ensino da língua escrita, contudo, procura-se neutralizar as marcas identificadoras de cada grupo social, a fim de atingir um padrão único abstrato e idealizado que seja supranacional. O paradoxo está em que cada falar, mesmo o culto, tem sua norma, variantes que prevalecem estatisticamente, mas que não anulam a ocorrência de outras. Para exemplificar, como se pode ver nas Figuras 11 e 12 referentes ao *r*, no contexto final de sílaba, em *carta* ou *porto*, quase todas as variantes ocorrem, tanto em Porto Alegre quanto no Rio de Janeiro. O que singulariza uma ou outra cidade é a predominância de determinada variante sobre as outras: em Porto Alegre, o *r* rolado; no Rio de Janeiro, o *r* posterior (velar ou aspirado).

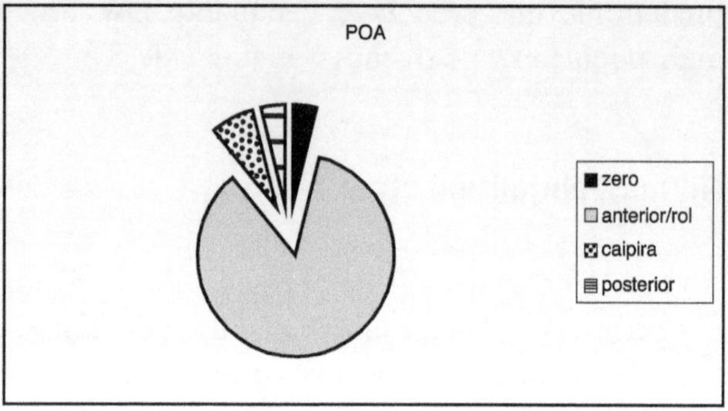

Figura 11. Tipos de *r* em Porto Alegre

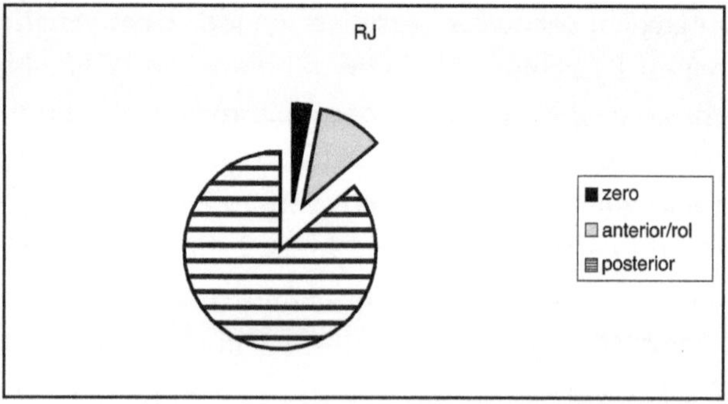

Figura 12. Tipos de *r* no Rio de Janeiro

Que evidências inequívocas há para decidir que um determinado tipo de realização do *r* ou qualquer outro fato linguístico do Rio de Janeiro representa *o padrão* e é *melhor* que o de Porto Alegre, de Salvador ou de qualquer outra cidade?

E mais um adendo. Vocalizar o *l*, apagar o *r* dos infinitivos, dizer *tem livros em cima da mesa,* em vez de *há livros em cima da mesa,* não constituem ameaças à integridade da língua portuguesa. A vocalização do *l* já ocorria em latim, o francês já cancelou o *r* de seus infinitivos há séculos e a invasão de *ter* no domínio de *haver* já ocorreu desde, pelo menos, o século XVI, quando a ideia de *posse* passou a ser expressa pelo verbo *ter*, e não mais pelo verbo *haver*. Nem os empréstimos lexicais *colocam* a língua "a perigo". São apenas reflexos de contatos culturais, ontem e hoje. Convivemos perfeitamente bem com palavras como *álcool*, *almofada*, do árabe, *garagem* e *personagem*, do francês, e *futebol*, do inglês. E temos de conviver também com *deletar*, por empréstimo ao inglês, que, por sua vez, tem origem latina (*delēre*, *delētum*).

Traçando linhas imaginárias

Outra questão digna de destaque é a de que não há, necessariamente, uma coincidência entre o comportamento linguístico dos falares e de suas áreas geográficas respectivas: Recife, por exemplo, incluída na região Nordeste, aproxima-se, muitas vezes, mais de Porto Alegre que de Salvador. O Rio de Janeiro, cujo dialeto é considerado o "padrão médio" em relação aos falares brasileiros e é incluído, segundo Nascentes, entre os dialetos do Sul, apresenta realizações que ora o aproximam de Salvador e Recife, como no caso do *r*, ora apenas de Recife, como no caso do *s*. O falar do Rio de Janeiro, pois, ora se liga aos falares do Sul, ora aos do Nordeste, ora ocupa uma posição intermediária.

O Mapa 4 traça as *linhas imaginárias* que demarcam uma variante em relação a cada um dos processos aqui exemplificados. O que este mapa quer demonstrar é a possibilidade de identificar a origem de um falante apenas com base em determinados traços fonéticos e/ou sintáticos: "*chia o s, aspira o r, pode apostar, é carioca, e mulher*"; "*não chia o s, vibra o r, tem entoação ascendente, é gaúcho*".

Voltando ao começo

Tudo isso teve início com a chegada de Cabral, que, ao aportar no Novo Mundo, se deparou com povos, costumes e línguas diversos, até então desconhecidos. Pouco depois, chegaram os jesuítas, com a missão de transformar os indígenas em cristãos. E daí surgiu a primeira gramática de falares brasileiros, *Arte da gramática da língua mais usada na costa do Brasil*, do padre José de Anchieta. A finalidade era ensinar a outros religiosos a língua tupinambá e tornar efetiva a catequese. Como qualquer gramática, embora intentasse ser apenas descritiva e pedagógica, terminou por ser

Mapa 4. Linhas demarcatórias de fenômenos linguísticos em áreas não contínuas

um instrumento de normatização e homogeneização. É bom lembrar que havia em tupinambá uma variação dialetal bem pronunciada. Fernão Cardim, um de nossos primeiros cronistas, menciona, em 1584, 68 dialetos distintos do tupinambá que se estendiam por uma área correspondente aos estados de Sergipe, Bahia, Espírito Santo e Rio de Janeiro, aproximadamente. Anchieta até reconhece essa diversidade, ao comparar a diferença de pronúncia de falantes de São Vicente/São Paulo e do Rio de Janeiro, cujo dialeto retrata em sua gramática.

A política posta em prática pelos jesuítas com o apoio da Coroa tirou dos índios seus costumes, suas terras, sua cosmologia, sua música e sua língua. A uma diversidade condenada impôs-se uma homogeneidade, cujo objetivo era manter a unidade do território conquistado. Essas populações *sem fé, nem lei, nem rei* deveriam passar a ter *uma* fé, só *uma* lei, só *um* rei. Estavam assim lançadas as bases para um imaginário, que ainda hoje perdura, de uma Terra Brasílica, linguística e culturalmente homogênea.

Os hospedeiros dos portugueses, os tupinambás, conviviam bem com a variação e a heterogeneidade, já que sua sociedade não tinha como critério classificatório o "bem" ou "mal" falar, que dirá o "bem" ou "mal" escrever. Mas chegara também com Cabral uma sociedade portuguesa estratificada, em que prevaleciam juízos de valor sobre a linguagem. E hoje legisla-se sem real conhecimento da complexidade dos fatos que caracterizam cada falar. Elege-se um padrão supranacional, do mesmo modo como se institucionalizou uma língua indígena como língua geral.

E assim tudo continua.

Cronologia

1595 Primeira gramática de uma língua brasileira: *Arte de grammatica da lingoa mais usada na costa do Brasil*, de José de Anchieta, escrita para ensinar o tupinambá aos jesuítas com a finalidade de tornar mais eficaz a catequese.

1823 Reconhecimento oficial das diferenças de "prosódia" do português falado no Brasil durante a Assembleia Nacional Constituinte.

1852 Publicação de *Coleção de vocábulos e frases usados na província de São Pedro do Rio Grande do Sul*, de Antônio Alvares Pereira Coruja, primeiro glossário regional representativo de uma primeira fase dos estudos dialetológicos.

1920 Publicação de *O dialeto caipira*, de Amadeu Amaral, marco da dialetologia brasileira, primeiro estudo monográfico de um falar não padrão.

1922 Publicação de *O linguajar carioca*, de Antenor Nascentes, com uma primeira tentativa de divisão de áreas dialetais brasileiras, a partir de dados linguísticos.

1937 Primeiro Congresso da Língua Nacional Cantada, realizado no Teatro Municipal de São Paulo, com participação da alta intelectualidade da época, tendo como finalidade estabelecer as "normas de dicção em língua nacional, adequando-as às exigências dos fonemas nacionais".

1956 Primeiro Congresso Brasileiro de Língua Falada no Teatro. Realizado em Salvador, teve como objetivo a padronização de uma pronúncia não marcada regionalmente a ser usada não só no teatro, mas também no Congresso Nacional, em conferências, salas de aula e em todos os veículos de comunicação de massa.

1963 Publicação do primeiro atlas linguístico brasileiro, o *Atlas prévio dos falares baianos*. Num reconhecimento da heterogeneidade, pela primeira vez buscava-se estabelecer limites linguísticos através da distribuição espacial de formas linguísticas. Serviu de modelo para os que seguiram.

1969 Início do projeto nacional de estudo da Norma Linguística Urbana Culta (NURC) com a finalidade de caracterizar uma pluralidade de normas que levassem em conta as diferenças regionais e socioculturais do país, opondo-se aos desideratos do Congresso de Língua Falada no Teatro.

1997 Início do projeto nacional Para a História do Português Brasileiro, empreendimento que tem por finalidade a reconstrução dos elementos sociais e linguísticos da história do português brasileiro.

Referências e fontes

A "Introdução" retrata a tensão existente entre uma unidade linguística supranacional e a constatação de uma diversidade regional e sociocultural, utilizando os seguintes autores e obras: João Ribeiro, *A língua nacional*, São Paulo, Companhia Editora Nacional, 2ª ed., 1933; Manuel Diégues Jr., *Regiões culturais do Brasil*, Rio de Janeiro, MEC/INEP, 1960; Antônio Houaiss, *Sugestões para uma política do idioma*, Rio de Janeiro, MEC/INL, 1960; *Primeiro Congresso Nacional de Língua Falada no Teatro*. Rio de Janeiro, MEC, 1958.

"Uma visão geral do Brasil: o mito da homogeneidade" apoia-se nos trabalhos de: José Honório Rodrigues, *História viva*, São Paulo, Global Universitária, 1986; Sérgio Buarque de Holanda. *Raízes do Brasil*, Rio de Janeiro, José Olympio, 20ª ed., 1988; Serafim da Silva Neto, *Introdução ao estudo da língua portuguesa no Brasil*, Rio de Janeiro, Presença, 5ª ed., 1986; Nelson Rossi, "A realidade brasileira. O mito da unidade e sua manipulação", *Revista do Instituto de Estudos Brasileiros*, 22, São Paulo, USP, p.34-44; Aryon Rodrigues, *Línguas indígenas: 500 anos de descobertas e perdas*, Delta, vol.9, nº1, São Paulo, 1993, p.83-103; Dante Lucchesi, "A constituição histórica do português brasileiro como um processo bipolarizador:

tendência atual de mudança nas normas culta e popular", in Grosze, S. e K. Zimmermann (orgs.), "*Substandard" e mudança no português do Brasil*, Frankfurt, TFM, 1998, p.73-99.

"Assumindo a diversidade" apresenta as diversas propostas de divisão do Brasil em áreas regionais, entre as quais se destaca a de Antenor Nascentes, reformulada na 2ª edição de *O linguajar carioca*, Rio de Janeiro, Simões, 1953. Registram-se também os atlas linguísticos gerais já publicados e os principais estudos monográficos: Nelson Rossi et al., *Atlas prévio dos falares baianos*, Rio de Janeiro, MEC/INL, 1963; José Ribeiro et al., *Esboço de um atlas linguístico de Minas Gerais*, Rio de Janeiro, MEC/Fundação Casa de Rui Barbosa/Universidade de Juiz de Fora, vol.1, 1977; Maria do Socorro Aragão e Cleusa Menezes, *Atlas linguístico da Paraíba. Cartas léxicas e fonéticas*, Brasília, UFPb/CNPq, 1984; Carlota Ferreira et al., *Atlas linguístico de Sergipe*, Salvador, UFBA/Fundação Estadual de Cultura do Estado de Sergipe, vol.1, 1987; Vanderci Aguilera, *Atlas linguístico do Paraná*, Curitiba, Imprensa Oficial do Estado do Paraná, vol.1, 1994. Além do trabalho de Antenor Nascentes, estão referidos: Amadeu Amaral. *O dialeto caipira*, São Paulo, Hucitec/SCET/CEC, 3ª ed.,1976 (1ª ed. 1920), e Mário Marroquim, *A língua do Nordeste (Alagoas e Pernambuco)*, São Paulo, Companhia Editora Nacional, 1934. E também o artigo de José Liberal de Castro, "Extração da média aritmética da pronúncia nacional. Caracterização da base carioca, como resultado da média. Notas subsidiárias a respeito do linguajar cearense", *Anais do Primeiro Congresso Brasileiro de Língua Falada no Teatro*, Rio de Janeiro, MEC, 1958, p.101-12.

"O falar carioca no conjunto dos falares brasileiros" e "Sexo, idade e variação linguística" apoiam-se no trabalho de Antenor Nascentes, anteriormente citado, e em: Dinah Callou, *Variação e distribuição da vibrante na fala urbana culta do Rio de Janeiro*, Rio de Janeiro, UFRJ/PROED, 1987; Dinah Callou e Maria Helena Marques, "O -s implosivo na linguagem do Rio de Janeiro", *Littera*, 14, ano 5, Rio de Janeiro, Grifo, jul-dez 1975, p.9-137; Maurício Abreu, *Evolução urbana do Rio de Janeiro*, Rio de Janeiro, Jorge Zahar, 1987; Luiz Felipe Alencastro (org.), *História da vida privada no Brasil*, vol.2, São Paulo, Companhia das Letras, 1997. Os dados estatísticos foram extraídos de *O Globo*, "Retratos do Rio", edição de 24.3.2001, e de: *Recenseamento do Brasil de 1872*, Município Neutro, vol.5, IBGE; *Relatório de 1873*, Directoria Geral de Estatística, Rio de Janeiro, Typographia Franco-Americana, 1874, e *Recenseamento do Brasil de 1890*, Distrito Federal, vol.1, IBGE.

"Para a caracterização dos falares brasileiros" e "Normas, pluralismo etc." baseiam-se em estudos realizados por Dinah Callou, Yonne Leite et al., "Um problema na fonologia do português: variação das vogais pretônicas", in Cilene Pereira e Paulo Pereira (orgs.), *Miscelânea de estudos linguísticos, filológicos e literários in memoriam Celso Cunha*, Rio de Janeiro, Nova Fronteira, 1995, p.59-70; Socorro Demasi, "O -l posvocálico na fala culta do

Rio de Janeiro", in Cilene Pereira e Paulo Pereira (orgs.), op. cit., p.115-63; Dinah Callou, Yonne Leite e João Moraes, "Processos de enfraquecimento consonantal", in Maria Bernadete Abaurre e Ângela Rodrigues (orgs.), *Gramática do português falado*, vol.VIII, Campinas, Unicamp, no prelo, e, dos mesmos autores, "A topicalização no português do Brasil: sintaxe e prosódia", in Herold Hitly (org.), *Actes du XXe Congrès International de Linguistique et Philologie Romanes*, Tübingen, A. Francke, 1993, p.89-97; Dinah Callou & Giselle Oliveira e Silva, "O uso do artigo em contextos específicos", in Dermeval da Hora (org.), *Diversidade linguística no Brasil*, João Pessoa, Ideia, 1997, p.11-27; Célia Lopes. *"Nós" e "a gente" no português falado culto do Brasil*, Delta, 14/2, São Paulo, EDUC, 1998, p.405-22; Suzana Cardoso, "*Ter* e *haver* no português do Brasil: mudança linguística e ensino", *Atas do I Simpósio sobre a Diversidade Linguística no Brasil*, Salvador, UFBA, p.223-36; Rosa Virgínia Mattos e Silva, "A variação haver/ter", in R.V. Mattos e Silva, (org.), *A carta de Caminha — Testemunho linguístico de 1500*. Salvador, EDUFBA, 1996, p.182-93.

"Traçando linhas imaginárias" e "Voltando ao começo" tratam da tentativa de estabelecer limites de fatos linguísticos e de situar o início da questão da unidade e diversidade linguística, com o apoio de: Dinah Callou, Yonne Leite e João Moraes, "Variação dialetal no português do Brasil: aspectos fonéticos e morfossintáticos", *Revista Internacional de Língua portuguesa*, 14, número especial, Lisboa/Associação das Universidades de Língua Portuguesa, Editorial Notícias, 1995, p.106-18; Yonne Leite e Bruna Franchetto, "500 anos de línguas indígenas no Brasil", in Suzana Cardoso, Jacyra Mota e Rosa Virgínia Mattos e Silva (orgs.), *500 anos de língua portuguesa no Brasil*, Salvador, UFBA, no prelo; Aryon Rodrigues, "Descripción del tupinambá en el período colonial: el Arte de Anchieta", in Klaus Zimmermann (org.), *La descripción de las lenguas amerindias en la época colonial.* Madri, Iberoamericana, 1997, p.371-400; Maria Candida Drummond Barros, Luiz Borges e Márcio Meira, "A língua geral como identidade construída", *Revista de Antropologia*, 39/1, São Paulo, 1996, p.191-219.

Sugestões de leitura

ABREU, Maurício. *Evolução urbana do Rio de Janeiro*, Rio de Janeiro, Jorge Zahar, 1987. Trabalho que descreve a estrutura metropolitana do Rio de Janeiro e suas interações com os processos econômicos, sociais e políticos.

CARDOSO, Suzana e Carlota Ferreira. *A dialetologia no Brasil*, São Paulo, Contexto, 1994. Introdução à metodologia de trabalho dialetal: o que se escreveu sobre a língua do país, quem e quando.

CASTILHO, Ataliba. *Para a história do português brasileiro. Primeiras ideias*, vol.1, São Paulo, USP/Humanitas/Fapesp, 1998. Coletânea de textos que levantam questões sobre uma história do português brasileiro.

CUNHA, Celso. *A questão da norma culta brasileira*, Rio de Janeiro, Tempo Brasileiro, 1985. Apresentação do Projeto de Estudo da Norma Linguística Oral Culta e de seus Objetivos. Para quem quer saber mais sobre observação e estabelecimento de normas, de língua escrita e de língua falada.

LOPES, Eliane et al. (org.). *500 anos de educação no Brasil*, Belo Horizonte, Autêntica, 2000. Textos sobre a história da educação no Brasil que levam à reflexão sobre o mundo, o homem e a cidade.

MATTOS E SILVA, Rosa Virgínia. *Contradições no ensino do português*, São Paulo, Contexto, 1995. Para quem quiser saber mais sobre a língua que se fala *versus* a língua que se ensina, falares, norma padrão e normas sociais.

OLIVEIRA E SILVA, Giselle M. e Marta Scherre (orgs.), *Padrões sociolinguísticos*, Rio de Janeiro, Tempo Brasileiro, 1996. Artigos que versam sobre as relações entre o social e o linguístico e a metodologia quantitativa na análise de fenômenos variáveis do português falado na cidade do Rio de Janeiro.

RODRIGUES, Aryon. *Línguas brasileiras*, São Paulo, Loyola, 1986. Visão panorâmica das línguas indígenas brasileiras com exemplificação de cada língua e classificação genética em troncos, famílias e dialetos.

SILVA NETO, Serafim. *Introdução ao estudo da língua portuguesa no Brasil*, Rio de Janeiro/Brasília, Presença/INL, 5ª ed., 1986. Livro clássico, publicado em 1950, escrito em linguagem clara, sobre os antecedentes históricos, geográficos e socioculturais que modelaram a língua nacional brasileira.

Sobre as autoras

Yonne Leite e Dinah Callou são autoras do livro *Iniciação à fonética e à fonologia*, publicado pela Zahar. Yonne (1935-2014), licenciada em letras neolatinas pela Universidade do Brasil e doutora em linguística pela Universidade do Texas em Austin/EUA, foi professora-adjunta da UFRJ e integrou o corpo docente do Programa de Pós-graduação em Antropologia Social do Museu Nacional/UFRJ. Suas áreas de pesquisa foram as línguas indígenas brasileiras e a fonologia do português. Dinah é graduada em letras anglo-germânicas pela UFBA, mestre e doutora em letras (língua portuguesa) pela UNB e UFRJ, respectivamente, com pós-doutorado em linguística pela UCSB, EUA. Atua como professora-titular do Departamento de Letras Vernáculas da Faculdade de Letras da UFRJ, foi colaboradora principal do primeiro atlas linguístico brasileiro, o *Atlas prévio dos falantes baianos*, e suas pesquisas atuais versam sobre variação e mudança no português do Brasil.

Coleção Descobrindo o Brasil

direção: Celso Castro

A modernização da imprensa (1970-2000)
Alzira Alves de Abreu

O Brasil no império português
Janaina Amado e Luiz Figueiredo

Os intelectuais da educação
Helena Bomeny

A era do rádio
Lia Calabre

A invenção do Exército brasileiro
A proclamação da República
Celso Castro

O Estado Novo
Maria Celina D'Araujo

A belle époque amazônica
Ana Maria Daou

O livro e a leitura no Brasil
Alessandra El Far

O pensamento nacionalista autoritário
Boris Fausto

Os índios antes do Brasil
Carlos Fausto

Os brasileiros e a Segunda Guerra Mundial
Francisco César Ferraz

Rebeliões no Brasil Colônia
Luciano Figueiredo

Palmares, ontem e hoje
Pedro P. Funari e Aline V. Carvalho

A arte rupestre no Brasil
Sambaqui: arqueologia do litoral brasileiro
Madu Gaspar

As formas do espaço brasileiro
Pedro Geiger

Cidadania e direitos do trabalho
Angela de Castro Gomes

Negros e política (1888-1937)
Flávio Gomes

Código Civil e cidadania
Keila Grinberg

Como falam os brasileiros
Yonne Leite e Dinah Callou

Uma viagem com Debret
Valéria Lima

O nascimento da imprensa brasileira
Isabel Lustosa

Escravidão e cidadania no Brasil monárquico
Hebe Maria Mattos

Os evangélicos
Clara Mafra

O sindicalismo brasileiro após 1930
Marcelo Badaró Mattos

O período das Regências (1831-1840)
Marco Morel

Da Bossa Nova à Tropicália
Santuza Cambraia Naves

Arqueologia da Amazônia
Eduardo Góes Neves

História do voto no Brasil
Jairo Nicolau

O Brasil dos imigrantes
Lucia Lippi Oliveira

Política externa brasileira
Leticia Pinheiro

Ditadura militar, esquerdas e sociedade
Daniel Aarão Reis

A Independência do Brasil
Iara Lis C. Souza

Partidos políticos no Brasil (1945-2000)
Rogerio Schmitt

O Império em procissão
Lilia Moritz Schwarcz

Modernismo e música brasileira
Elizabeth Travassos Lins

A fotografia no Império
Pedro Karp Vasquez

Brasil de todos os santos
Ronaldo Vainfas e Juliana Souza